Gun fhios cò às

Dha mo charaidean,
Ge bith a bheil iad faisg no fad' às.

A' chiad fhoillseachadh le Nosy Crow Earr 2020.
The Crow's Nest, 14 Baden Place, Crosby Row, Lunnainn SE1 1YW
Nosy Crow Eireann Ltd, 44 Orchard Grove, Kenmare,
Co Kerry, V93 FY22, Eireann
www.nosycrow.com

10 9 8 7 6 5 4 3 2 1

Tha Nosy Crow agus na suaicheantasan co-cheangailte nan comharran-malairt
agus/no nan comharran-malairt clàraichte aig Nosy Crow Earr.

A' chiad fhoillseachadh sa Ghàidhlig ann an 2022 le Acair
An Tosgan, Rathad Shìophoirt, Steòrnabhagh, Eilean Leòdhais HS1 2SD

info@acairbooks.com   www.acairbooks.com

© an teacsa Ghàidhlig Acair, 2022

An tionndadh Gàidhlig le Mòrag Stiùbhart
An dealbhachadh sa Ghàidhlig le Mairead Anna NicLeòid

Tha Acair a' faighinn taic bho Bhòrd na Gàidhlig.

Tha clàr catalog CIP ri fhaotainn airson an leabhair seo bho Leabharlann Bhreatainn.

Clò-bhuailte ann an Sìona

Tha Nosy Crow a' cleachdadh pàipear bho chraobhan
a chaidh fhàs ann an coilltean seasmhach.

LAGE/ISBN: 978-1-78907-114-6

Gun fhios
cò às

Chris Naylor-Ballesteros

Aon uair, bha caraid agam.

Nochd i aon latha gun fhios cò às.
Dh'fhaighnich mi dhi cò às a thàinig i, ach cha robh fios aice.

Dh'fhuirich i còmhla rium agus a h-uile latha,
bhiodh sinn a' gabhail picnig còmhla air a' chreig
mhòir le sealladh thairis air a' choille.

An uair sin, aig deireadh gach latha, bhiodh sinn
a' coimhead èirigh na gealaich còmhla.

Ach dhùisg mi aon mhadainn agus cha robh sgeul
air mo charaid.

Sheall mi anns gach àite . . .

. . . agus mu dheireadh thall!

Siud mo charaid – air chall,
gu domhainn anns a' choille.

A-nise, tha fios agam gu bheil mi a' coimhead glè làidir le mo shlige chruaidh agus m' adhaircean spìceach. 'S e an fhìrinn, uaireannan . . .

chan eil mi a' faireachdainn làidir idir.
Ach ma bha mi airson mo charaid a lorg,
dh'fheumainn dìreach leigeil orm.

Dh'ullaich mi picnig anabarrach mòr agus thog mi orm.

Airson 's gum bithinn a' faireachdainn rud beag na bu làidire,
ghabh mi òran beag.

'S e daolag a th' annam, 's nach eil thu a' tuigsinn?
Cha chuir feannag acrach mise fo chlisgeadh.
Seadh, 's e daolag a th' annam, agus mar a chì thu le d' shùilean?
Cha chuir losgannan sgreataidh eagal no diù orm.
O, 's e daolag a th' annam agus, ehm…cùm cluas ri claisneachd?
Cha sguir mis' a sheinn…gus an teirig na faclan!

Cha do chuir aon chreutair mòran dragh orm;
mar sin saoilidh mi gun do dh'obraich e.

Agus dìreach nuair a theirig faclan an òrain mhòr
ghaisgeil agam, bha mi ann!

Ge-tà, thuig mi gu robh mi air mearachd mhòr a dhèanamh.

Cha robh aon bheachd agam càit' an robh mo charaid.

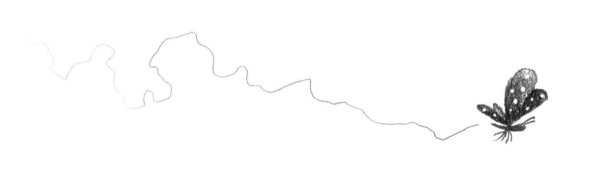

Bha mi sgìth, agus bha astar mòr eadar mi fhìn 's a' chreag mhòr. Leis a sin, chuir mi romham fuireach airson greiseag.

Dìreach gus am faighinn mo neart air ais.

Agus an uair sin, gun fhios cò às,
nochd cuideigin.

Bha mi a' smaoineachadh gun robh mi air a faicinn roimhe
ach an toiseach cha robh mi idir cinnteach.

An uair sin sheall mi na bu dlùithe. Agus bha fios agam.
'S e mo charaid a bh' ann! Bha i air atharrachadh rud
beag ach 's i a bh' ann gun teagamh.

Ghabh sinn picnig còmhla, dìreach mar a b' àbhaist.

Rinn sinn an dearbh rud an ath latha.
Agus an latha às dèidh sin.

Agus an-diugh cuideachd.
Dìreach mar a b' àbhaist dhuinn, air a' chreig mhòir.

An uair sin, aig deireadh gach latha,
thèid sinn air sgrìob gus am faic sinn
èirigh na gealaich còmhla.

Agus tha mo charaid air ais còmhla rium.

Gun fhios cò às.